ONE DIRECTION UN SUEÑO

100% NO OFICIAL

Grupo Editorial Tomo, S.A. de C.V.,
Nicolás San Juan 1043,
03100 México, D.F.

ESCRITO POR ELLEN BAILEY
EDITADO POR PHILIPPA WINGATE
DISEÑADO POR ZOE BRADLEY

AGRADECIMIENTOS POR LAS FOTOS

Portada: Yui Mok / PA Archive / Press Association Images
Contraportada: Michael Kovac / WireImage / Getty Images

Portada y contraportada del libro: © Jason Moore / ZUMA Press, Inc. / Alamy
Página 6: Action Press / Rex Features
Páginas 8–9: Startraks Photo / Rex Features
Página 11: Matt Baron / BEI / Rex Features
Página 13: Ken McKay / Rex Features
Página 15: George Pimentel / WireImage / Getty Images
Página 17: Danny Martindale / Getty Images
Página 19: Jon Furniss / WireImage / Getty Images
Página 20: Hugh Thompson / Rex Features
Páginas 22–23: David Fisher / Rex Features
Páginas 24–25: JAB Promotions / WireImage / Getty Images
Páginas 26–27: Beretta / Sims / Rex Features
Página 31: Danny Martindale / Getty Images
Páginas 32–33: Rex Features
Páginas 34–35: Jon Furniss / WireImage / Getty Images
Página 37: MediaPunch / Rex Features
Página 38 (both): MediaPunch / Rex Features
Página 39 (above): MediaPunch / Rex Features
Página 39 (below): Toure Cheick / Rex Features
Páginas 42–43: Ken McKay / Rex Features
Página 44: AGF s.r.l. / Rex Features
Página 48: Startraks Photo / Rex Features
Páginas 50–51: Ken McKay / Rex Features
Páginas 52–53: Larry Busacca / Getty Images
Página 55: Chiaki Nozu / WireImage / Getty Images
Páginas 58–59: Matt Baron / BEI / Rex Features
Página 60: David Fisher / Rex Features
ShutterStock Inc: gráficos en las páginas 4–5, 7, 8–9, 10–11, 12–13, 14–15, 16–17, 18–19,
20–21, 24–25, 26–27, 28–29, 30–31, 34–35, 36–37, 38–39, 40–41, 44–45, 46–47, 48–49, 50–51, 54–55, 56–57, 58–59, 60–61

1a.edición, octubre 2012.
ONE DREAM. ONE DIRECTION
Copyright © 2012 Buster Books,
una marca de Michael O'Mara Books Limited

©2012, Grupo Editorial Tomo, S.A. de C.V.
Nicolás San Juan 1043, Col. Del Valle
03100 México, D.F.
Tels. 5575-6615, 5575-8701 y 5575-0186
Fax.5575-6695
http://www.grupotomo.com.mx
ISBN-13: 978-607-415-427-6
Miembro de la Cámara Nacional de la
Industria Editorial No.2961

Traducción: Ivonne Alcocer
Formación: Armado Hernández
Diseño de portada: Karla Silva
Supervisor de producción: Silvia Morales

Nota: Este libro no está aprobado ni es promocionado
por One Direction ni por sus editores o los titulares de sus lincencias.

ONE DIRECTION UN SUEÑO

ANUAL 2013

100% NO OFICIAL

CONTENIDO

PRESENTANDO A LOS CINCO FANTÁSTICOS

La infección de One Direction se está esparciendo por todo el mundo. ¿Tú ya te contagiaste? Los síntomas incluyen altas temperaturas, gritos y en ocasiones desmayos. ¡Ah, y no hay cura!

LOS INGLESES ESTÁN LLEGANDO
Conocidos como "la nueva invasión británica", Liam Payne, Harry Styles, Zayn Malik, Louis Tomlinson y Niall Horan han mostrado a las fans de todo el mundo

su manera única de cantar pop. Su vida es un torbellino interminable de conciertos, sesiones fotográficas, presentaciones en televisión, entrevistas de radio, firmas de autógrafos y fanáticas gritando. De hecho, cuando le preguntaron a Niall si había un punto en que quisiera que las fans dejaran de gritar, él contestó, "sólo cuando estoy comiendo".

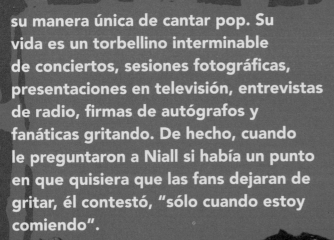

LA FAMILIA 1D

Las fanáticas de One Direction son conocidas como "La familia 1D o "Las Directioners". Están entre las fans más dedicadas del mundo, viajan grandes distancias y esperan formadas por horas para poder ver, aunque sea rápidamente, a los que hacen latir su corazón.

Los de 1D aman a sus seguidoras. "Las fans siempre me dicen que soy hermoso, pero jamás lo seré tanto como ellas", dijo Niall. "Si no fuera por las fans, no seríamos nada", comentó Harry.

PASE A LOS CAMERINOS

Este libro es "tu pase a todas las áreas" del mundo de One Direction. Ponte detrás de las cámaras y averigua todo sobre música, moda y fama. Sigue a los chicos en su viaje desde que eran niños bonitos y su presentación en el programa *X Factor*, hasta su gran éxito internacional.

¡Ponte el cinturón, porque será como estar en una montaña rusa y mucho más!

APLAUSOS PARA HARRY

ARCHIVO

NOMBRE:
Harry Edward Styles.

FECHA DE NACIMIENTO:
1° de febrero 1994.

SIGNO ZODIACAL:
Acuario.

LUGAR DE NACIMIENTO:
Holmes Chapel, Cheshire, Inglaterra.

PELÍCULAS FAVORITAS:
Realmente amor y *Titanic*.

COLORES FAVORITOS:
Rosa y naranja.

**CANCIÓN PARA LA AUDICIÓN
DEL PROGRAMA *X FACTOR*:**
"Isn't She Lovely" de Stevie Wonder.

LE GUSTA:
El juego Láser Quest y las duchas.

NO LE GUSTA:
Las aceitunas, hacer juramentos y las montañas rusas.

NO PUEDE VIVIR SIN:
Champú L'Oréal *Elvive* y su teléfono.

CELEBRIDAD FAVORITA:
Frankie de The Saturdays.

LE GUSTARÍA SER:
Louis Tomlinson.

LO QUE MÁS LE GUSTA HACER:
Decir en televisión lo que piensa.

LO QUE MENOS LE GUSTA HACER:
Desenredarse el cabello.

FRASE:
"Siempre he querido ser de esas personas que en realidad no les interesa lo que la gente piense de ellos... pero creo que no soy así".

¿SABÍAS QUÉ?
• Antes de estar en One Direction, Harry era el vocalista de una banda llamada White Eskimo.

• Cuando conoció al resto de los cinco fantásticos en el programa *X Factor*, él fue quien sugirió el nombre de "One Direction".

EL ENTUSIASTA DE ZAYN

ARCHIVO

NOMBRE:
Zayn Jawadd Malik.

FECHA DE NACIMIENTO:
12 enero 1993.

SIGNO ZODIACAL:
Capricornio.

LUGAR DE NACIMIENTO:
Baildon, Bradford, Inglaterra.

PELÍCULAS FAVORITAS:
Caracortada y *Diarios de la calle.*

COLORES FAVORITOS:
Rojo y azul.

CANCIÓN PARA LA AUDICIÓN DEL PROGRAMA *X FACTOR*:
"Let Me Love You" de Mario.

LE GUSTA:
Quedarse acostado los domingos, las perforaciones y las películas de miedo.

NO LE GUSTA:
La piyama, los sándwiches tostados y nadar.

NO PUEDE VIVIR SIN:
Espejos o pollo asado.

CELEBRIDAD FAVORITA:
Megan Fox.

LE GUSTARÍA SER:
Justin Timberlake.

LO QUE MÁS LE GUSTA HACER:
Poner caras feas o chistosas para las fotos.

LO QUE MENOS LE GUSTA HACER:
Ser el primero en estar listo por las mañanas.

FRASE:
"La vida es chistosa, las cosas cambian, las personas cambian, pero tú siempre serás tú, así que mantente fiel a ti mismo y nunca sacrifiques lo que eres por nadie".

¿SABÍAS QUÉ?
• Durante el programa *X Factor* Zayn tuvo un ataque de nervios y prefirió quedarse detrás del escenario en un número de baile. Simon Cowell se dio cuenta de que Zayn no estaba !y entonces lo fue a buscar y lo convenció de seguir en la competencia!

EL EXUBERANTE LOUIS

ARCHIVO

NOMBRE:
Louis William Tomlinson.

FECHA DE NACIMIENTO:
24 de diciembre 1991.

SIGNO ZODIACAL:
Capricornio.

LUGAR DE NACIMIENTO:
Doncaster, Sur de Yorkshire, Inglaterra.

PELÍCULA FAVORITA:
Vaselina.

COLORES FAVORITOS:
Morado y rojo.

CANCIÓN PARA LA AUDICIÓN
DEL PROGRAMA X FACTOR:
"Hey There Delilah" de Plain White T's.

LE GUSTA:
Asolearse, voces tontas, hacer reír a la gente y los juegos de computadora.

NO LE GUSTA:
No poder conectarse a internet, estar pálido y fumar.

NO PUEDE VIVIR SIN:
Su mamá, ni su champú seco —para cuando no se puede lavar el pelo.

CELEBRIDAD FAVORITA:
Emma Watson y Cheryl Cole.

LE GUSTARÍA SER:
Robbie Williams.

LO QUE MÁS LE GUSTA HACER:
Sorprender con bromas.

LO QUE MENOS LE GUSTA HACER:
Ser serio en las entrevistas.

FRASE:
"Vive la vida en el momento, porque todo lo demás es incierto".

¿SABÍAS QUÉ?
• ¡Su mamá le cuenta historias de bebé por twitter para avergonzarlo! Sus tres cosas favoritas de cuando era niño:
1. Ir en su cochecito saludando a todo mundo. 2. Escalar árboles. 3. Hacer una mezcla de cereales para el desayuno. ¡Qué lindo!

NADIE COMO NIALL

ARCHIVO

NOMBRE:
Niall James Horan.

FECHA DE NACIMIENTO:
13 de septiembre 1993.

SIGNO ZODIACAL:
Virgo.

LUGAR DE NACIMIENTO:
Mullingar, County Westmeath, Irlanda.

PELÍCULAS FAVORITAS:
El Padrino y *Vaselina*.

COLORES FAVORITOS:
Amarillo y azul.

CANCIÓN PARA LA AUDICIÓN DEL PROGRAMA X FACTOR:
"So Sick" de Ne-Yo.

LE GUSTA:
El futbol, la pizza y llamar a Simon Cowell "Tío Sí".

NO LE GUSTA:
El Vegemite (tipo mermelada), los payasos y los lugares encerrados.

NO PUEDE VIVIR SIN:
Dormir.

CELEBRIDAD FAVORITA:
Cheryl Cole.

LE GUSTARÍA SER:
Michael Bublé.

LO QUE MÁS LE GUSTA HACER:
Llamar la atención por su acento irlandés.

LO QUE MENOS LE GUSTA HACER:
Una charla cursi en un chat o teñirse su pelo rubio de color marrón o negro.

FRASE:
"La gente cree que los chicos de una banda tienen que vestirse combinando todo de un color. Somos los chicos de una banda que trata de hacer algo diferente a lo que la gente piensa. Tratamos de hacer música diferente y tratamos de ser nosotros mismos, no rechinamos de limpios".

¿SABÍAS QUÉ?
• ¡Niall podría ganarle a cualquiera en una competencia de gases y además podría vaciar un cuarto o un autobús lleno de gente en tan sólo unos segundos!

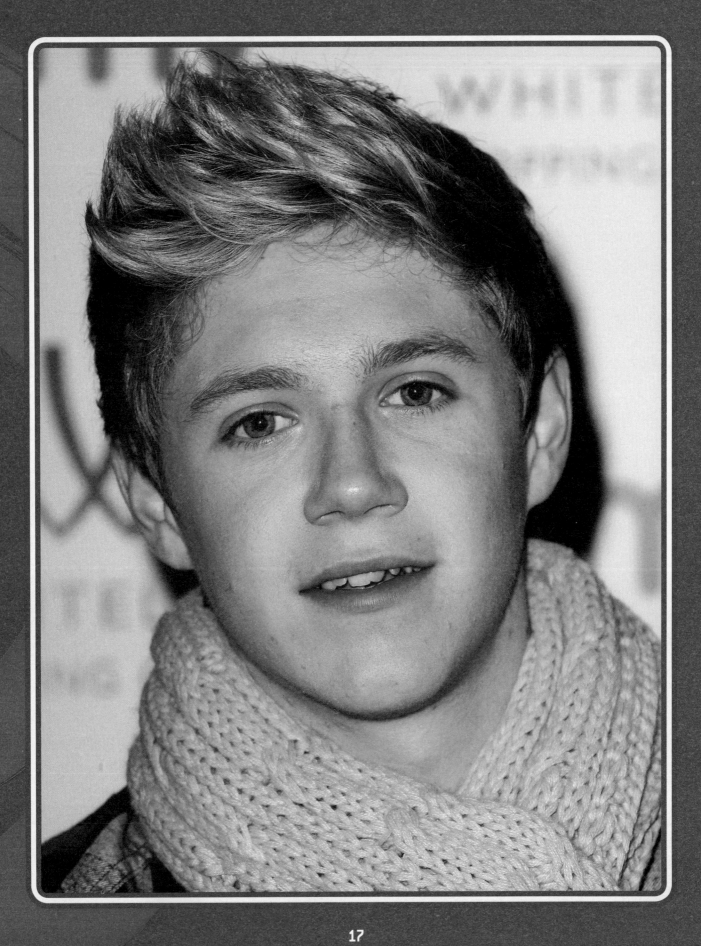

EL QUERIDO LIAM

ARCHIVO

NOMBRE:
Liam James Payne.

FECHA DE NACIMIENTO:
29 de agosto 1993.

SIGNO ZODIACAL:
Virgo.

LUGAR DE NACIMIENTO:
Wolverhampton, West Midlands,
Inglaterra.

PELÍCULAS FAVORITAS:
Todas las de *Toy Story*.

COLORES FAVORITOS:
Morado y azul.

CANCIÓN PARA LA AUDICIÓN
DEL PROGRAMA *X FACTOR*:
"Cry Me A River" de Michael Bublé.

LE GUSTA:
Cantar en la ducha, las sorpresas, los
alisadores de cabello y los masajes.

NO LE GUSTA:
Los tuits vulgares, los vuelos en avión y
las cucharas.

NO PUEDE VIVIR SIN:
Productos para el cabello.

CELEBRIDAD FAVORITA:
Leona Lewis.

LE GUSTARÍA SER:
El comediante Michael McIntyre.

LO QUE MÁS LE GUSTA HACER:
Pedir una cita cantando.

LO QUE MENOS LE GUSTA HACER:
Ser grosero.

CITA CLAVE:
"Trato de ser *cool*, pero no soy muy bueno
haciéndolo".

¿SABÍAS QUÉ?
• Liam audicionó para el programa *X Factor*
en 2008 cuando tenía 14 años. Él logró una
gran impresión en los jueces, pero Simón
Cowell dijo que todavía no estaba listo,
que regresará en dos años. ¡Qué bueno que
lo hizo!

JÓVENES POR SIEMPRE

Antes de que Liam, Harry, Zayn, Louis y Niall se juntaran para formar One Direction, eran sólo cinco chicos con grandes ambiciones. Tal vez pensaban en el estrellato, pero nunca imaginaron lo que había justo a la vuelta de la esquina...

LIAM

"Cuando era pequeño siempre dije que quería un hermano, ahora es como tener cuatro".

Liam es la prueba viviente de que si te propones algo, lo puedes lograr sin importar los retos que tengas que enfrentar. Liam nació funcionándole un solo riñón y mientras era chico se la pasaba entrando y saliendo de los hospitales. ¡Solían ponerle 32 inyecciones al día! Determinado a no dejar que su enfermedad lo detuviera, Liam comenzó a levantarse a las 6 de la mañana a correr antes de ir a la escuela. Su recompensa llegó cuando formó su propio equipo escolar de menores de

18 años de campo traviesa. También practicó box, lo cual era maravilloso para el bulling de la escuela: "me dio confianza, en dos años me volví muy bueno". Ciertamente esa confianza se le nota en su sonrisa descarada.

NIALL
"Mi familia recuerda que yo siempre estaba cantando algo".

El multi talentos Niall ha impresionado a la gente con sus habilidades musicales desde muy pequeño. Comenzó a tocar la guitarra en eventos a los 12 años. Entró y ganó varios concursos de talentos y supo que estaba destinado a ser un artista.

Los padres de Niall, Maura y Bobby, se separaron cuando él era muy pequeño y después se volvieron a juntar en el concurso X Factor para apoyar a su hijo. "Fue una experiencia maravillosa verlo cantar enfrente de todas esas personas", dijo su padre Bobby, "lo hizo muy bien".

HARRY
"Tenía novias por aquí y por allá cuando era chico, pero hasta que tuve 12 años tuve una novia de verdad".

Harry amaba cantar y bailar desde muy pequeño e hizo sus primeras canciones cuando era un niño. "Mi papá me introdujo a su música y cuando me dieron un karaoke, mi abuelo, mi primo y yo grabamos un disco con las canciones de Elvis". Siempre con una sonrisa, Harry tiene un lado muy simpático, "solía ser un poco molesto en la escuela porque todo me daba risa".

LOUIS
"A los 13 años pasé por una etapa en que era muy delicado con la ropa".

Louis creció con cuatro hermanas menores —Charlotte, Félicité y las gemelas Daisy y Phoebe. "Supongo que de alguna manera eso me enseñó algo de las mujeres," dice Louis. "Tener a todas estas niñas también me ayudó con los bebés... amo los bebés y los niños siempre me siguen porque soy muy juguetón."

Antes de que Louis estuviera en One Direction fue a una escuela de actuación e interpretó varios papeles en programas de televisión, pero él dice que su mejor trabajo fue en un cine, ya que podía ver todos los estrenos. A él no le importaba mucho la ropa hasta que cumplió 17 años, ahora ya todo cambió.

ZAYN
"Fui in poco tremendo de chiquito porque era hiperactivo."

La gran apariencia de Zayn viene de su mezcla de culturas —su mamá es inglesa y su papá pakistaní. Pero no siempre fue fácil ser diferente a los otros niños. "Sentía que no encajaba en mis primeras dos escuelas", recuerda. "Cuando mi hermana y yo nos cambiamos a otra escuela sentí que había gente de muchos lados, así que me sentí más a gusto. Además todas las niñas querían saber quién era el chico nuevo y ahí comencé a volverme cool". Zayn ha experimentado con varios cortes de cabello durante su adolescencia —¡incluso se ha rapado y se ha hecho rayas en las cejas! "Creía que era lo adecuado para estar en la música actual y el rap".

LA AVENTURA DEL *X FACTOR*

Para estos cinco fabulosos chicos llegar al estrellato ha sido como un paseo en montaña rusa. Al inicio de la aventura de One Direction hubo momentos en los que se les paró el corazón durante el programa X *Factor* en 2010.

DE REGRESO A CASA

En un inicio Liam, Harry, Louis, Zayn y Niall audicionaron como solistas, cada uno de ellos pensó que sus sueños habían terminado cuando los jueces les dijeron que no habían pasado a la siguiente ronda. Pero después, los jueces decidieron que estos adolescentes eran muy talentosos como para mandarlos de vuelta a casa. Cuando el juez invitado, Nicole Scherzinger, sugirió que los cinco solistas se juntaran y formaran un grupo; la historia comenzó.

Simon Cowell reconoció el potencial de los muchachos y los monitoreó hasta el final de la competencia. Simon es conocido por su habilidad para encontrar verdaderos talentos, y estos chicos han probado que no se equivocó con ellos.

UN LAZO INDESTRUCTIBLE

Estos chicos juntos son imparables. En muy poco tiempo han creado una gran amistad, un lazo indestructible y un sonido único. Las otras bandas del concurso que tenían más tiempo formadas no tuvieron oportunidad en la competición, estos chicos ganaban

semana tras semana, tanto con los jueces, como con la audiencia televisiva con sus interpretaciones de los grandes éxitos. Aquí hay una lista de las canciones que cantaron en el escenario de los programas en vivo:

Semana uno: "Viva la vida"
Semana dos: "My life would suck without you"

Semana tres: "Nobody knows"
Semana cuatro: "Total eclipse of the heart"
Semana cinco: "Kids in America"
Semana seis: "The way you look tonight"
Semana siete: "All you need is love"
Semana ocho: "You are so beautiful" y "Summer of 69"
Semana nueve: "Chasing cars" y "Only girl (in the world)"

En la gran final del programa *X Factor*, One Direction terminó en tercer lugar, cerca de Rebecca Ferguson y del ganador Matt Cardle. Para muchos artistas esto hubiera sido el final de sus carreras, sin embargo no fue así para 1D.

FIRMAN CON DISQUERA
Las fanáticas de todo el mundo enloquecieron cuando la versión de One Direction de la canción "Forever Young" fue puesta en internet. Inmediatamente Simon Cowell firmó a los muchachos con su disquera Syco y rápidamente comenzó el torbellino de vida para una banda de chicos.

EL RESTO ES HISTORIA
Después de que terminó el programa, los chicos se unieron a sus compañeros del programa *X Factor* y se fueron de gira deleitando a las fanáticas de todo el Reino Unido.

Desde sus humildes inicios en el programa *X Factor*, ¡hoy en día sólo hay una dirección en la que van Harry, Louis, Zayn, Liam y Niall... y es hacia las estrellas!

CONOCIÉNDOSE

Después del programa X Factor no les tomó mucho tiempo volverse verdaderos amigos. En muy poco tiempo se volvieron muy cercanos y yo creo que tú estarás de acuerdo porque esta armonía se ve reflejada en sus presentaciones.

HACIENDO QUE FUNCIONE

Liam, Harry, Zayn, Louis y Niall aportan algo único para la banda, pero cuando pones a cinco talentos y chicos necios juntos es difícil que cada uno se sienta conforme y piense que su voz se escucha lo suficiente. "Al

principio todas nuestras ideas chocaban un poco", admite Zayn. "El principio fue difícil porque sólo nos lanzaron a todos allí", dice Liam. "Tuvimos muy poco tiempo para conocernos. ¡Pero ahora todos nos llevamos muy bien y vivimos juntos y es increíble!".

BROMISTAS

Tanto en la casa del programa *X Factor* como en la gira, los muchachos se llevaron de una forma muy bromista —¡todo el tiempo se hacían bromas! Entraban en la habitación de los otros y los comenzaban a atacar con pasadores para el cabello: "Liam estaba dormido y Zayn le hizo una raya en la ceja con un rastrillo", comentó Harry. "Luego Zayn estaba dormido y yo le hice mis iniciales con un rastrillo en los vellos de las piernas".

A Louis también le gusta gastar bromas. "¡Grrr, Louis entraba a mi cuarto y me echaba cubetas de agua mientras yo estaba dormido", se queja Niall.

Con todas esas bromas no es difícil imaginar por qué Harry extrañaba su casa en ciertas ocasiones. Estando en la casa *X Factor*, él confesó: "La casa siempre es muy ruidosa, hay gente ordenada y desordenada, pero es muy padre vivir con todos los chicos. Aunque extraño un poco a mi mamá".

MANOS A LA OBRA

Es cierto que los muchachos saben cómo pasarla bien, pero no se llega a ser una estrella de pop internacional sin tener que ser serio en ocasiones. Estos profesionales saben cuándo es el momento de parar el relajo y poner manos a la obra.

"Yo creo que el pasar tanto tiempo juntos, socialmente, nos ha hecho muy buenos amigos", explica Harry. "Pero cuando es el momento de las presentaciones y los ensayos somos profesionales y no perdemos el enfoque. Estamos concentrados cuando tenemos que estarlo."

DESDE LAS ESTRELLAS

¿Está escrito en las estrellas tu futuro con uno de los miembros de One Direction? Lee para averiguarlo.

Si tu signo zodiacal es géminis, libra, sagitario, aries o acuario tu pareja astrológica es...

HARRY

Si tu signo zodiacal es leo, capricornio o cáncer, entonces tu pareja astrológica es...

LIAM Y NIALL

Si tu signo zodiacal es tauro, virgo, escorpión o piscis tu pareja astrológica es...

ZAYN Y LOUIS

Harry es **acuario**, lo que significa que es de mente abierta y le gusta explorar nuevos horizontes. Los **acuarianos** aman a las chicas inteligentes que son buenas conversadoras —debes ser la chica más paciente del mundo, porque si no logras entrar en su mente, entonces él no estará interesado. Los **acuarianos** necesitan libertad y odian cuando las chicas se ponen celosas. Pero no te preocupes —los **acuarianos** son novios muy fieles.

CUALIDADES: Amistoso, independiente, honesto.

LE GUSTA: Soñar con el futuro y recordar el pasado.

NO LE GUSTA: La gente doble cara o falsa.

PIEDRA: Amatista.

COLOR: Azul.

DÍA: Domingo.

Liam y Niall son virgo, lo que quiere decir que son relajados y tranquilos por fuera, pero llenos de emoción por dentro. Si al principio de la relación se comportan muy relajados ya sabes por qué. A los **virgos** les gusta sentirse seguros y van por las chicas que no son muy impulsivas o aventadas. Son excelentes novios porque estarán contigo en cualquier momento.

CUALIDADES: Inteligente, modesto, práctico, ocurrente.

LE GUSTA: La precisión, la limpieza y el orden.

NO LE GUSTA: El trabajo mal hecho y la incertidumbre.

PIEDRA: Zafiro.

COLOR: Verde.

DÍA: Miércoles.

Zayn y Louis son **capricornio**, lo que sugiere que son muy físicos y apasionados. A los **capricornio** les toma mucho tiempo confiar en la gente, así que cualquier chica con la que salgan necesita estar preparada para tomarlo con calma al principio y no esperar nada muy pronto. Sin embargo, una vez que entraste en su corazón, será tuyo para siempre.

CUALIDADES: Ambicioso, paciente, estable.

LE GUSTA: La privacidad, el hogar y la familia.

NO LE GUSTA: Estar solo, ni que lo molesten.

PIEDRA: Granate.

COLOR: Café.

DÍA: Sábado.

TIENES QUE SER TÚ

Liam, Harry, Zayn, Louis y Niall nunca han tenido problemas para lograr una cita y desde que se volvieron famosos hay cientos de miles de niñas que harían lo que fuera para conocerlos.

Esta es tu oportunidad para que sepas qué es lo que buscan los chavos de One Direction en una niña. Descubre cómo serían en una relación, si es que todos tus sueños se hicieran realidad.

♡	LIAM	HARRY	ZAYN	NIALL	LOUIS
COMO NOVIO ES...	Sensible y romántico	Fiel y simpático	Tímido al principio	Siempre riéndose	Leal y digno de confianza
CAPTA SU ATENCIÓN	Con una sonrisa	Jugando con tu cabello	Diciéndole algo lindo	Usando unos pantalones pegados	Diciéndole un chiste
LE GUSTAN LAS NIÑAS QUE...	Tienen el cabello café	Son más grandes que él	Son relajadas	Soportan que las molesten	Son limpias y ordenadas
NO LE GUSTAN LAS NIÑAS QUE...	Son más altas que él	Gritan	Que son posesivas	Creen en las pelis de Disney	Tienen tatuajes
VA A LLEGAR A LA CITA EN...	Jeans playera	Jeans, camisa y saco	Jeans y playera	Jeans, camisa y saco	Pantalones kaki y playera tipo polo

TODO ESTÁ EN EL NOMBRE

¿Necesitas saber cuál de los chavos de One Direction es para ti? Descubre si la respuesta está en tu nombre...

1. Cuenta las letras de tu primer nombre y súmale las letras de tu apellido

2. Divide este número en dos. Si sale un número con decimales, ciérralo; es decir 5.5 ciérralo en 6.

3. Comenzando en la parte de arriba del corazón con el nombre de Harry, ve contando los pétalos hacia la derecha hasta que llegues a tu número, luego colorea ese corazón.

4. Continúa contando en los corazones que no están coloreados y sáltate los que ya están en color. Cada vez que llegues a tu número, colorea ese corazón.

5. Cuando sólo quede un corazón sin colorear, ¡ése es tu chico!

Harry

Zayn   Liam

Niall   Louis

ROMPIENDO RÉCORDS

Desde que firmaron con la compañía Syco de Simon Cowell un contrato récord de dos millones de libras, One Direction ha estado rompiendo todos los récords. Aquí está exactamente lo que han hecho...

FEBRERO 2011: Los chicos encabezaron la gira del programa *X Factor* por todo el Reino Unido.

ABRIL 2011: La banda One Direction es anunciada como las estrellas de la publicidad de Los juegos de Nintendo DSI Pókemon Negro y Pókemon Blanco.

MAYO 2011: Los chicos se dirigen a Suecia al estudio de grabación para su primer sencillo. "Cuando salió el demo de 'What makes you beautiful' instantáneamente sentimos que era muy bueno", dice Louis.

JULIO 2011: 1D se dirige a Los Ángeles, USA, para filmar el video de "What makes you beautiful". También celebran el primer aniversario de la banda.

SEPTIEMBRE 2011: El sencillo rompe récords de ventas anticipadas para Sony Music y entra en los sencillos del Reino Unido como el número uno en ventas, vendiendo 153 965 copias en la primera semana.

SEPTIEMBRE 2011: Los chicos publican su primer libro "Atrévete a soñar" y empiezan una gira en el Reino Unido agotando todas las entradas.

OCTUBRE 2011: Las Directioners de todo el mundo hacen campañas para que visiten sus ciudades con el eslogan "Qué venga 1D". Los chicos visitan Suecia, Italia, Holanda y Alemania.

NOVIEMBRE 2011: Sale el segundo sencillo llamado "Gotta be you" y sacan en el Reino Unido su primer álbum *Up All Night*. El disco se vuelve el álbum más rápido en venderse en el 2011.

DICIEMBRE 2011: Las entradas a los conciertos en el Reino Unido se agotan en minutos.

FEBRERO 2012: One Direction saca su tercer sencillo llamado "One thing".

MARZO 2012: 1D logra ser la primera banda inglesa en alcanzar el número 1 en la lista Billbord con su álbum debut. "¡Simplemente no podíamos creer que fuéramos los # 1 en Estados Unidos! Para nosotros Es más que un sueño hecho realidad", exclama Harry.

ABRIL 2012: La banda vende más de 4 millones de álbumes en seis meses. Escogen Australia y Estados Unidos para comenzar a promocionar su disco y son el número 1 en más de 14 países.

MAYO/JUNIO 2012: One Direction comienza su gira por el norte de Estado Unidos tocando en lugares enormes por todo el país y conviviendo con sus fans muy de cerca.

LA FAMILIA 1D

Las Directioners son de las fans más devotas del mundo. Si te sabes la letra de todas sus canciones, los sigues en facebook y twitter, tienes pósters de ellos por todo tu cuarto y viajarías kilómetros para poder verlos, entonces te puedes considerar parte de la familia 1D. Y qué familia...

¿QUÉ TIPO DE FAN ERES?

De acuerdo con One Direction hay varios tipos de fans. Hay las que gritan y las que se desmayan. También están las que son tranquilas y hablan con los chicos. Finalmente están las tímidas que prefieren admirar a los chicos guapos desde lejos. Sólo tú sabes qué tipo de fan eres.

ONE DIRECTION CON SUS FANS

Aquí te contamos algunas de las cosas que los chicos han dicho acerca de sus muy queridas admiradoras:

• "No seríamos nada sin nuestras increíbles fans, les debemos todo". (Louis)

• "Creo que para salir con una chica no hay que tomar en cuenta si es fan o no —si lo es qué padre". (Zayn)

• "Unas chicas nos pidieron que les firmáramos las uñas de los pies, no fue desagradable, estuvo bien, Creo que hay peores lugares para firmar". (Harry)

REGALOS EXTRAÑOS

Los chicos han recibido extraños y maravillosos regalos de sus fans. Aquí te contamos de algunos muy extraños:

Harry – Una lechuga.
Niall – Una ovejita bebé de verdad.
Liam – Una caja de champiñones.
Louis – Un saco de zanahorias.
Zayn – Una tanga.

TOTALMENTE DEVOTAS

Las fans de One Direction en realidad hacen cualquier cosa por sus héroes. Aquí te presentamos algunas de las cosas más extraordinarias y devotas que han hecho por sus ídolos:

• April Bliss de 17 años se rasuró la cabeza para ganar dos boletos para el concierto de One Direction y también para juntar dinero para una fundación de leucemia y cáncer de sangre en Nueva Zelanda. Donó su cabello para hacer una peluca para alguien con cáncer. ¡Eso es amor verdadero!

• Más de 300 fans canadienses acamparon 35 horas en un frío extremo en Montreal para poder ver pasar a los chicos que hacen latir su corazón. ¡La temperatura afuera del lugar en donde estaban los chicos era de menos 10° centígrados —qué fríííío!

• Un grupo de amigas se vistió exactamente como ellos. "En Boston hicimos una reunión con estas cinco niñas y estaban vestidas igual a nosotros", recuerda Harry. "Eso es demasiado, estuvo increíble".

DETRÁS DE CÁMARAS

¿Alguna vez te has preguntado qué hacen los chicos de One Direction cuando las cámaras están apagadas? Ellos te dirían que es como estar en un gran sueño con tus cinco mejores amigos, lleno de presentaciones con fanáticas gritando, alfombras rojas y sesiones fotográficas.

Entra al camión de las giras y descubre cómo es en realidad cuando One Direction está en el camino.

ESTRELLAS DE FÚTBOL

Para mantenerse entretenidos en el camión, especialmente cuando son distancias muy largas, los chicos aman jugar en sus consolas un juego de fútbol llamado FIFA. Hacen torneos para ver quién es el campeón.

En cuanto el camión se detiene, los chicos salen a estirar las piernas, salen a dar vueltas. Los chicos son atletas y aman el fútbol —es la manera perfecta de relajarse.

CONTANDO SUS BENDICIONES
Los chicos tiene los pies en la tierra y saben lo afortunados que son de poder hacer lo que les gusta y poder despertarse en una ciudad diferente cada día. "Normalmente, la gente de nuestra edad está en la escuela y ese tipo de cosas", dice Harry. "Nosotros viajamos alrededor del mundo. ¡Mira allí —es Nueva York!".

REGLAS DE VIAJE
De acuerdo a los chicos hay cinco reglas para compartir exitosamente un autobús:
1. Limpia después de que usas.
2. Duérmete cuando quieras.
3. Come mucho.
4. No pueden entrar chicas al autobús.
5. Siempre déjale la litera de arriba a Niall.

BROMISTAS
Los chicos aman hacer travesuras y gastar bromas entre ellos. ¿Quién crees que es el campeón de las bromas?

• Louis, por meterle popotes en la nariz a Harry mientras estaba dormido y hacerlo parecer una morsa.

• Harry, por ponerle cinta adhesiva en la boca a Louis y luego jalársela.

• Liam, por lanzarle una cubeta con agua a Niall mientras estaba dormido.

• Zayn, por vaciarle un extinguidor en la cara a Niall.

• Niall, por tomarle una foto a Liam mientras estaba en el baño.

¡VIAJE EN CARRETERA!

INICIO:
NUEVA YORK

¡TUS AMIGAS ESTÁN TAN CELOSAS QUE NO PUEDEN EVITAR PREGUNTARTE LO QUE PASÓ! AVANZA HACIA DELANTE TRES CASILLAS.

Los chicos de One Direction terminaron su gira y están por emprender el viaje en carretera lejos de los ajetreos y bullicios de Nueva York a una fiesta en la playa en Los Ángeles. Y la mejor noticia es ¡qué estás invitada!

Busca un dado, trae a una amiga y diviértanse con este juego para ver cuál de las dos puede llegar primero a la fiesta en la playa.

TÚ Y TUS AMIGAS HAN SIDO CAPTADAS POR LOS PAPARAZZI. SALTA UNA CASILLA HACIA DELANTE, SUFICIENTE PARA PERDERLOS

CASI NO HAS DORMIDO Y LOS CHICOS DE 1D TE HICIERON PERDER UN TURNO.

ZONA DE TIEMPO FUERA:
SACA UN SEIS PARA SALIR DE AQUÍ.

DEJASTE TU PASE PARA ESTAR DETRÁS DEL ESCENARIO EN NUEVA YORK, PASA A LA ZONA DE TIEMPO FUERA.

LOS REPORTEROS TE ENGAÑARON Y SOLTASTE ALGUNOS SECRETOS. RETROCEDE CUATRO CASILLAS.

EN UN GLAMOROSO DÍA DE COMPRAS CON LOS DE 1D PERDISTE LA NOCIÓN DEL TIEMPO. RETROCEDE UNA CASILLA.

¡ESTÁS EN LA LISTA DE INVITADOS DE LA FIESTA! VUELVE A TIRAR.

EN EL ÚLTIMO MOMENTO TE DA PÁNICO ESCÉNICO. PIERDES UN TURNO.

LOS FOTÓGRAFOS TE CAPTARON CON LOS CHICOS Y TODO MUNDO HABLA DE TI. RETROCEDE DOS CASILLAS.

META:
LLEGASTE A LA FIESTA EN LA PLAYA

¡LOS CHICOS TE PIDEN QUE SALGAS EN SU NUEVO VIDEO! AVANZA DOS CASILLAS.

¡QUÉ ESTILO!

Ciertamente One Direction sabe cómo lucir bien; ellos estuvieron en la semana de la moda en Londres, la revista *GQ* los nominó como los mejores vestidos del año 2012 ¡y varias súper estrellas han sido captadas intentando copiarles su estilo! Ya sea que estén vestidos con trajes para una alfombra roja o con shorts para un día de playa, los chicos siempre se las arreglan para lucir extraordinariamente bien. Aquí te decimos cómo...

FIELES A SUS CREENCIAS
Liam, Zayn, Niall, Harry y Louis dicen que desde que se volvieron famosos han ganado confianza en su sentido de la moda y animan a sus compañeros para que se expresen a través de su vestimenta.

A partir de que formaron One Direction su apariencia ha evolucionado, pero su secreto para lucir grandiosos es permanecer fieles a sus estilos únicos de la moda. Zayn es el más innovador y toma la moda muy seriamente. Louis ama lo relajado, un look náutico. A Harry le gusta lucir trajes a la medida. Para Liam la comodidad es lo más importante —ama lo relajado de una camisa a cuadros y unos jeans y Niall prefiere los jeans y camisas tipo polo en colores pálidos y neutros.

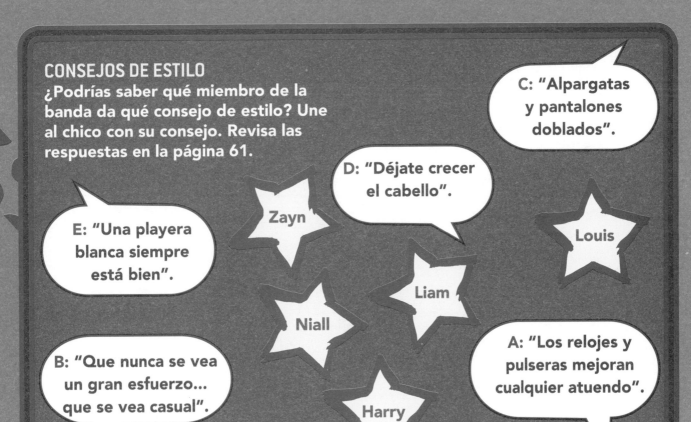

CONSEJOS DE ESTILO
¿Podrías saber qué miembro de la banda da qué consejo de estilo? Une al chico con su consejo. Revisa las respuestas en la página 61.

C: "Alpargatas y pantalones doblados".

D: "Déjate crecer el cabello".

E: "Una playera blanca siempre está bien".

Zayn

Louis

Liam

Niall

A: "Los relojes y pulseras mejoran cualquier atuendo".

B: "Que nunca se vea un gran esfuerzo... que se vea casual".

Harry

ROMPIENDO LAS REGLAS
Los chicos de One Direction no temen romper algunas de las reglas de la moda. Ellos aman mezclar y hacer combinaciones inteligentes con los estilos clásico, formal y relajado. No cualquiera se puede poner un traje a rayas, con botas o una corbata de moño con pantalones ajustados, sin embargo estos chicos llenos de estilo saben cómo hacerlo.

IMANES DE MARCAS
Una de las mejores cosas de ser parte de One Direction es que las mejores marcas te regalan cosas. Los chicos promocionan marcas deportivas como Bench, Caterpillar y G Star Raw. Nial ama los tenis y zapatos de Fred Perry, Nike, Dunks y Converse. A Liam le gusta usar ropa de Jack Wills y de los atuendos favoritos de Harry son de la marca Aquascutum.

UNO POR UNO
Louis es un gran fanático de la marca étnica TOMS y muy a menudo usa de estos zapatos. TOMS fue fundada por Blake Mycoskie, un norteamericano, que mientras viajaba por Argentina se dio cuenta de que había niños que no tenían zapatos para protegerse los pies. A Blake le surgió la idea de "Movimiento Uno por Uno" —que es, por cada par de zapatos que se compren, él dona unos para los niños. De esta forma los chicos de 1D han ayudado a muchos niños de los países subdesarrollados, además de lucir grandiosos.

¿SABÍAS QUÉ?
• Los chicos no se toman nada muy en serio y también les gusta usar overol de vez en cuando.

¿CUÁL ES PARA TI?

¿Estás hecha para Zayn, eres perfecta para Harry o ideal para Liam? ¿Te gustaría ser la chica de Niall o la novia de Louis? Sigue este diagrama para descubrir cuál de los chicos de 1D es más compatible contigo...

Como una hermana sofisticada

Portarte seria

4. ¿Cómo te describirían tus amigas?

2. Ves al chico que te gusta en una fiesta, ¿qué harías?

No hacerlo

Como alguien chistosa

Corres a cambiarte

1. Si tu amiga te propone que le gastes una broma a tu profesor, ¿qué harías?

Le hablas

5. A la mitad del día en la escuela se te cae una bebida roja en la blusa, ¿qué harías?

Darle un regalo

Dices que es tu nuevo look

3. Tu mejor amiga se siente triste, ¿qué harías?

Entrar en acción

Lo ignoras

6. Un chico te manda mensajitos por el chat, ¿qué harías?

Contarle un chiste

Le mandas uno de regreso

Sales a correr

Liam

7. Si te sientes un poco estresada, ¿cómo liberas la tensión?

Con un largo baño

Zayn

No sales de casa

8. Amaneces con un grano inmenso en la cara, ¿qué harías?

De cualquier forma sales

Niall

Ser amable

9. Un entrevistador te pregunta qué opinas de la forma en que se viste Simon Cowell. ¡Piensas que es terrible! ¿Qué harías?

Harry

Decir la verdad

Correr a esconderte

10. La mamá de tu mejor amiga te pide que cuides a sus tres hijos, ¿qué harías?

Louis

Tomar el riesgo

ADIVINA

Aquí hay una docena de declaraciones acerca de One Direction. ¿Podrías adivinar cuáles son verdad y cuáles son falsas? Revisa las respuestas en la página 61.

DECLARACIÓN UNO:
A Louis lo picó un erizo de mar mientras estaba en el programa X Factor.

DECLARACIÓN CUATRO:
A los chicos de One Direction les gusta pasear con una paloma llamada Kevin.

DECLARACIÓN TRES:
Zayn es mitad español.

DECLARACIÓN SIETE:
Liam tiene un lunar de nacimiento en el cuello.

DECLARACIÓN DOS:
Niall ama la mayonesa.

DECLARACIÓN SEIS:
"Gotta be you" es la primera canción en el disco Up All Night.

DECLARACIÓN CINCO:
Harry tiene cuatro pezones.

DECLARACIÓN DIEZ:
Los chicos le hacen llamadas de broma a Simón Cowell.

DECLARACIÓN NUEVE:
Louis llama a Niall "bote de basura humano" porque come mucho.

DECLARACIÓN OCHO:
La mamá de Niall una vez audicionó para el programa X Factor.

DECLARACIÓN DOCE:
Harry fue a la misma escuela que Kate Middleton, la duquesa de Cambridge.

DECLARACIÓN ONCE:
Zayn y Niall salieron en un anuncio de los jeans Levis.

One Direction amó su primera aventura en Estado Unidos. En el aeropuerto de Los Ángeles fueron muy bien recibidos por un ejército de fanáticas con pancartas y los chicos supieron inmediatamente que sería el viaje de sus vidas. A partir de allí, fue un torbellino de estrenos de películas y boletos agotados para sus presentaciones en vivo. Descubre qué fue lo que vivieron...

FANS – TÁNSTICAS

One Direction jamás espero un recibimiento como el que tuvieron en Norteamérica: "En los tuits veíamos gente que escribía ¡soy de Estados Unidos, soy de Estados Unidos!", dice Louis. "Pero hasta que no estás allí y las ves, no parece real."

De acuerdo con los chicos, las fans de Estados Unidos son las más escandalosas, enloquecidas y seguras de sí mismas de todo el mundo. A ellos les encanta cómo las chicas norteamericanas no tienen miedo de acercarse y hablarles y ¡están muy conmovidos por todo el amor que han recibido de las fanáticas de ese país!

BIG TIME RUSH

One Direction colaboró con la banda Big Time Rush en su gira por Estados Unidos y los dos grupos tuvieron mucho éxito tanto arriba del escenario como abajo. "Los chicos de Big Time Rush son muy parecidos a nosotros", dice Liam. La popularidad de One Direction explotó en cuanto comenzó la gira y

fueron invitados a participar en los premios #25 de Nickelodeon en Los Ángeles, USA. Este fue un gran honor para los chicos ingleses y estaban especialmente emocionados de conocer a Katy Perry, Will Smith y a la primera dama Michel Obama.

I CARLY

Mientras estaban en Norteamérica, los chicos de 1D hicieron una presentación como invitados en el show de I Carly ofreciéndoles la oportunidad de demostrar sus dotes de actuación en la televisión norteamericana. En el episodio, Harry trata de llamar la atención de Carly fingiendo estar enfermo. Para hacerlo salir de la cama, los chicos idean un plan en el que le hacen creer a Harry que el amigo de Carly, Gibby, tomará su lugar en la banda. El plan funcionó y Harry sale de la cama para cantar "What makes you beautiful" con su grupo. ¡En verdad fue un gran show!

LOCOS POR EL MADISON

One Direction hizo historia cuando su álbum debut alcanzó el primer lugar de ventas en los Estados Unidos, pero los chicos se dieron cuenta de esto hasta que vendieron todas las entradas para su concierto en el Madison Square Garden, el tercer escenario más grande del mundo —y lo hicieron en tan sólo una hora.

Liam agradeció a las fans por twitter, "No puedo esperar, hoy será la noche más increíble de todas. ¡Muchas gracias por ayudarnos a vender todas las entradas en el Madison Square Garden!!!!". La mamá de Louis entró en acción y escribió por twitter: "Los chicos han roto otro récord, es una gran banda y yo una mamá muy orgullosa."

LA PRIMERA DAMA

Los chicos estaban sorprendidos de recibir una invitación para buscar los huevos de Pascua en la Casa Blanca. Estuvieron muy molestos al tener que rechazar la invitación debido a que tenían una presentación en Australia.

LA GRAN GIRA

La pasión de One Direction por haber brillado en Estados Unidos se confirmó cuando anunciaron que harían una gran gira por todo el país en mayo y junio del 2012.

¡El romance de 1D con Norteamérica está haciendo que todos los corazones latan!

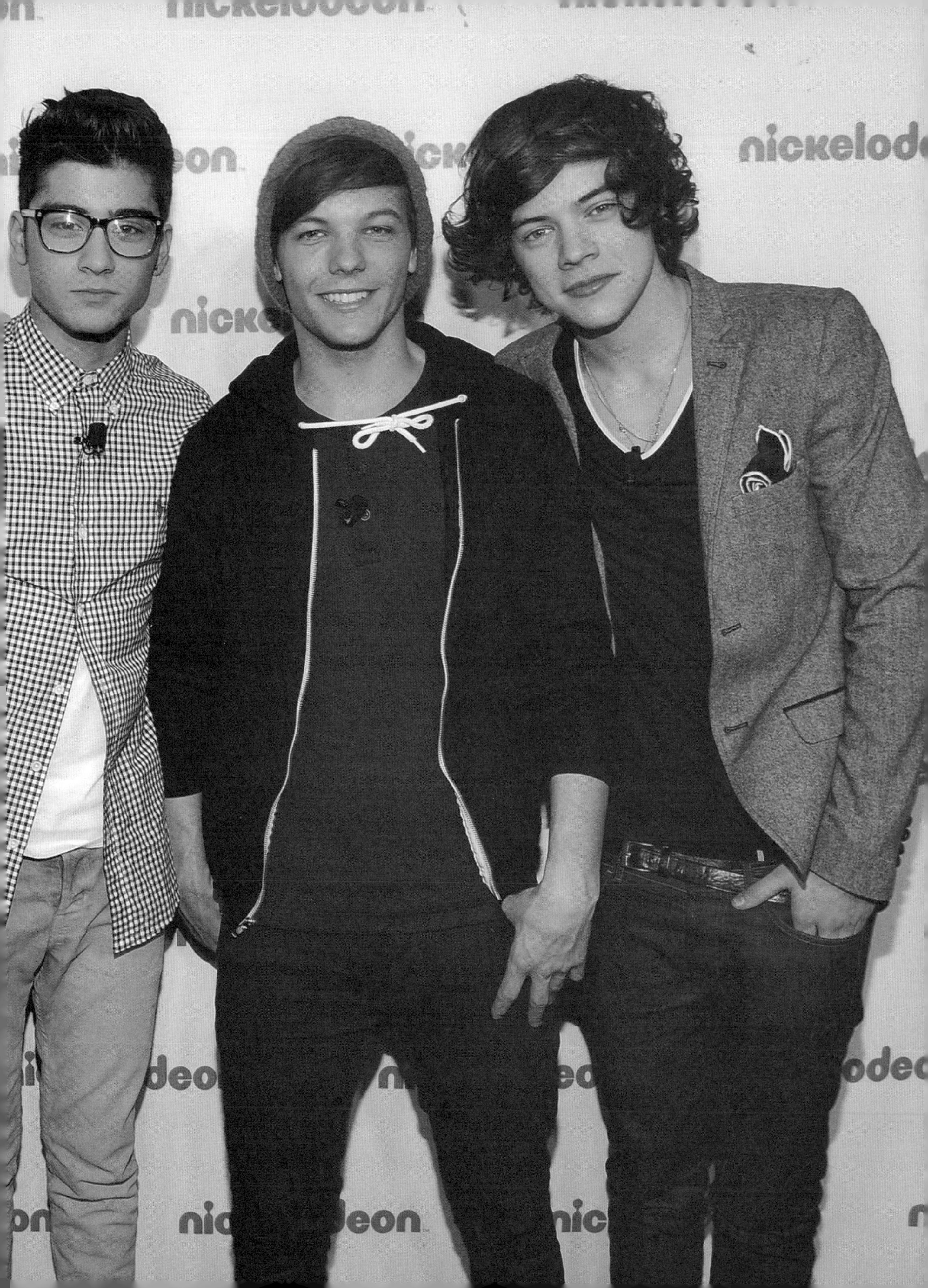

CRUCIGRAMA

Los títulos de todas las canciones del primer álbum de One Direction están escondidos en este crucigrama. ¿Podrás encontrarlos? Las palabras pueden ir hacia arriba, hacia abajo o en diagonal. Revisa tus respuestas en la página 61.

U	O	D	J	U	P	E	F	L	W	I	E	D	E	L	B	A	N	O	W	L
O	S	E	K	A	G	N	I	H	T	E	N	O	M	T	A	H	T	K	U	A
Y	O	U	B	E	A	I	W	A	N	T	U	T	I	S	F	U	L	F	O	R
T	N	R	E	T	S	A	I	E	T	A	E	R	T	G	R	E	I	B	E	S
U	S	T	M	I	L	L	S	R	E	A	D	O	C	A	M	T	B	S	R	A
O	O	E	R	V	O	R	H	G	S	T	L	E	R	R	U	A	B	A	I	V
B	E	R	Y	A	V	E	N	T	I	E	L	U	P	A	P	R	I	M	D	E
A	G	A	G	U	V	B	R	O	M	F	Y	A	E	M	A	L	S	E	G	Y
G	B	O	L	I	N	G	S	Y	T	R	A	B	Y	J	L	S	B	M	E	O
N	A	J	T	E	C	N	H	E	N	E	U	S	N	A	L	Y	T	I	A	U
I	M	I	E	T	B	E	A	K	E	O	R	J	A	C	N	K	I	S	E	T
H	H	A	M	E	A	E	D	I	Y	R	M	P	S	N	I	L	O	T	C	O
T	U	C	K	R	L	B	E	S	B	E	R	Y	F	I	G	N	W	A	H	N
Y	O	H	T	C	S	T	E	A	Y	O	U	T	N	E	H	R	A	K	Y	I
R	O	L	M	R	G	K	A	Y	T	E	S	P	A	R	T	A	K	E	N	G
E	G	L	O	C	A	Y	T	I	O	N	U	M	O	C	E	D	O	S	K	H
V	L	O	N	M	G	R	D	S	I	U	X	T	F	O	R	T	T	A	B	T
E	I	Y	T	E	L	L	M	E	A	L	I	E	A	D	R	E	S	E	Y	E
W	E	A	N	T	O	S	E	E	M	A	S	T	S	A	M	E	V	E	T	O
I	H	M	A	E	K	Z	W	S	I	H	T	N	A	H	T	E	R	O	M	N
W	M	E	S	N	A	T	Q	J	K	L	B	T	R	A	E	N	T	H	G	I

MORE THAN THIS   ONE THING   I WISH   I WANT   SAVE YOU TONIGHT

GOTTA BE YOU   UP ALL NIGHT   SAME MISTAKES   STOLE MY HEART

WHAT MAKES YOU BEAUTIFIUL   TELL ME A LIE   TAKEN   EVERYTHING ABOUT YOU

SU FAN # 1

Pon a prueba qué tan fan eres con este examen de 1D. Revisa tus respuestas en la página 61.

Cada vez que tengas una respuesta correcta, dibuja una estrella de las que están en el lado derecho de la página, comienza por las de abajo. Mientras más te acerques a la estrella más grande de hasta arriba, ¡más fanática eres!

1 ¿Cuál es el primer nombre que sugirió Zayn para la banda?

A: New Direction
B: *Pente* – que suena como la palabra "cinco" en griego.
C: The Zaynorators

2 ¿Cuál de los miembros de One Direction apareció primero en el programa *X Factor* en 2008 y logró una muy buena impresión en los jueces?

A: Liam
B: Zayn
C: Harry

3 ¿Para qué evento en la Casa Blanca fue invitado One Direction?

A: El cumpleaños de Mila, la hija del presidente Obama
B: Para la cena de Acción de Gracias
C: Para buscar los huevos de Pascua

4 ¿Cuál de los siguientes libros leyó Niall?

A: *Matar a un ruiseñor*
B: *El señor de las moscas*
C: *De ratones y hombres*

5 ¿Cuál de los integrantes de One Direction tiene cuatro hermanas?

A: Louis
B: Harry
C: Liam

6 ¿Cuál es el segundo nombre de Harry?

A: James
B: Edward
C: Arthur

7 ¿Quién es el más grande de la banda?

A: Liam
B: Niall
C: Louis

8 ¿Cuál es la cuenta de Liam en twitter?

A: @Real_Liam_Pyne
B: @LiamOfficial
C: @liampayne

9 ¿En qué lugares se grabó el álbum *Up All Night*?

A: Reino Unido, Italia y USA
B: Reino Unido, Suecia y USA
C: Suecia, USA y Francia

10 ¿Cuál es el amuleto de Niall?

A: Un par de calcetines
B: Un brazalete de piel blanco
C: Una playera tipo Polo blanca

11 ¿Qué instrumento poco común toca Harry?

A: El teclado
B: El bazantar
C: El kazoo

12 ¿Quién canta más solos en el álbum?

A: Harry
B: Zayn
C: Liam

SÚPER FANÁTICA EXTREMA

MEGA FAN

HABILIDADES SUPERIORES

CONOCIMIENTO SORPRENDENTE

PARTE DE LA FAMILIA 1D

SIÉNTETE ORGULLOSA

ESTÁS A LA MITAD DEL CAMINO

VAS BIEN

RESULTADOS RESPETABLES

FAN RECIÉN NACIDA

DEBES ESFORZARTE

¡BUUUUU!

UN FUTURO BRILLANTE

Es difícil superar el gran año que tuvieron Niall, Harry, Zayn, Liam y Louis. ¿Cómo detener a un meteorito en ascenso al estrellato internacional?

Parece que el próximo año va a estar lleno de éxitos musicales, ceremonias de premiación ¡y por su puesto fans gritando! No hay quien pare a estos chicos. Aquí están algunos de los compromisos de 1D.

SEGUNDO ÁLBUM
One Direction ya está trabajando en su segundo álbum ¡y parece que será tan bueno como el primero! Los chicos que ayudaron a escribir algunas de las canciones del álbum *Up All Night* están listos para trabajar con las mejores estrellas del medio musical.

Simon Cowell ha desafiado a los mejores escritores de música y productores para que trabajen con One Direction en su próximo disco. Los que han confirmado que colaboraran en el álbum son Rami Yacoub, Carl Falk y Savan Kotecha —quien escribió "What makes you beautiful"—,

Tom Fletcher de McFly, Max Martin y Kristian Lundin —famosos por sus éxitos que grabaron Britney Spears, Katy Perry y Pink. Existen rumores de que súper estrellas como Ed Sheeran, Adele y Dappy podrían estar involucradas.

GIRA EN ESTADIOS

Debido a su gran éxito con su gira en Estados Unidos, One Direction ha planeado tocar su primer concierto en un estadio en la gira de 2013. La gira será en uno de los lugares más grandes del Reino Unido dándole con esto la oportunidad a miles de fanáticas de ver a los chicos en su país. Después vendrá una gira mundial para que todo el globo entre en acción.

VIVIENDO EL SUEÑO

Los chicos estuvieron encantados de trabajar en su primer libro *Atrévete a soñar* y están listos para publicar otro en el 2013. El libro elevará su popularidad en el mundo y promete traer escenas nunca antes vistas y chismes que ayudarán a las fans a saber quiénes son en realidad. "Esperamos darles a las fans algo nuevo y especial", dice Niall. "Para nosotros lo más importante es que nuestras fans estén contentas y sientan nuestro cariño con lo que les damos... ya queremos empezar a trabajar en él".

LOGROS

No sólo las fans son devotas de la banda, toda la industria musical ha tenido que reconocer los logros de los chicos. Aquí te presentamos la colección de premios de One Direction.

¿SABÍAS QUÉ?
Los chicos de One Direction no temen compartir el reflector. Ellos nominaron a sus escritores y productores Rami Yacoub, Carl Flak y Savan Kotecha para los Premios de Héroes Anónimos 2012. Estos premios reconocen a las personas que están detrás de cámaras en la industria musical.

2011 J-14 Premios Icon Adolescentes

Ganadores del Icon del Mañana

2012 Premios Británicos
GANADORES del Mejor sencillo británico

2012 Premios Nickelodeon:

GANADORES de Mejor banda inglesa y Revelación británica

2011 4 Premios Musicales

GANADORES de Mejor grupo, Mejor revelación, Mejor video.

Página 45: CONSEJOS DE ESTILO
A: Niall; B: Zayn; C: Louis; D: Harry; E: Liam

Página 48: ADIVINA
Declaración uno: Verdadero; Declaración dos: Falso; Declaración tres: Falso; Declaración cuatro: Verdadero; Declaración cinco: Verdadero; Declaración seis: Falso; Declaración siete: Verdadero; Declaración ocho: Falso; Declaración nueve: Verdadero; Declaración diez: Verdadero; Declaración once: Falso; Declaración doce: Falso.

Página 54: CRUCIGRAMA

Página 56:
SU FAN # 1
1: B
2: A
3: C
4: A
5: A
6: B
7: C
8: A
9: B
10: A
11: C
12: A

U	O	D	J	U	P	E	F	L	W	I	E	D	E	L	B	A	N	O	W	L
O	S	E	K	A	G	N	I	H	T	E	N	O	M	T	A	H	T	K	U	A
Y	O	U	B	E	A	I	W	A	N	T	U	T	I	S	F	U	L	F	O	R
T	N	R	E	T	S	A	I	E	T	A	E	R	T	G	R	E	I	B	E	S
U	S	T	M	I	L	L	S	R	E	A	D	O	C	A	M	T	B	S	R	A
O	O	E	R	V	O	R	H	G	S	T	L	E	R	R	U	A	B	A	I	V
B	E	R	Y	A	V	E	N	T	I	E	L	U	P	A	P	R	I	M	D	E
A	G	A	G	U	V	B	R	O	M	F	Y	A	E	M	A	L	S	E	G	Y
G	B	O	L	I	N	G	S	Y	T	R	A	B	Y	J	L	S	B	M	E	O
N	A	J	T	E	C	N	H	E	N	E	U	S	N	A	L	Y	T	I	A	U
I	M	I	E	T	B	E	A	K	E	O	R	J	A	C	N	K	I	S	E	T
H	H	A	M	E	A	E	D	I	Y	R	M	P	S	N	I	L	O	T	C	O
T	U	C	K	R	L	B	E	S	B	E	R	Y	F	I	G	N	W	A	H	N
Y	O	H	T	C	S	T	E	A	Y	O	U	T	N	E	H	R	A	K	Y	I
R	O	L	M	R	G	K	A	Y	T	E	S	P	A	R	T	A	K	I	N	G
E	G	L	O	C	A	Y	T	I	O	N	U	M	O	C	E	D	O	S	K	H
V	L	O	N	M	G	R	D	S	I	U	X	T	F	O	R	T	T	A	B	T
E	I	Y	T	E	L	L	M	E	A	L	I	E	A	D	R	E	S	E	Y	E
W	E	A	N	T	O	S	E	E	M	A	S	T	S	A	M	E	V	E	T	O
I	H	M	A	E	K	Z	W	S	I	H	T	N	A	H	T	E	R	O	M	N
W	M	E	S	N	A	T	Q	J	K	L	B	T	R	A	E	N	T	H	G	I